P9-DNC-801

Este libro
es propiedad
del pirata:
....

LOS LOBITOS DE MAR

Cinco, como los dedos de una mano,
estudian el primer curso en la Escuela de Piratas
y aspiran a convertirse en expertos bucaneros.

Jim

Inteligente y audaz, está siempre dispuesto a sacar a sus amigos de cualquier apuro. Es de origen inglés.

Antón

Flaquito y un poco cobardica, siempre se está quejando de todo... Tiene orígenes franceses.

Ondina
La única chica de la
tripulación posee una
habilidad insólita: habla
con los peces. Es portuguesa.
Babor y Estribor
Los dos enormes y requeterrubios hermanos
noruegos se parecen como dos gotas
de agua y... ¡no hacen más que
meterse en líos!

LOS CAPITANES

Los maestros Pirata tienen el título de capitán y cada uno de ellos enseña una asignatura distinta de la piratería.

Hamaca

Holgazán y dormilón, el profesor de los Lobitos de Mar es maestro de Lucha porque... reparte golpes como pocos en el mundo.

Shark

El maestro de los Tritones está lleno de cicatrices dejadas por tiburones y medusas. Enseña Navegación.

Letisse Lutesse

Es maestra de Esgrima.
Bonita y siempre elegantísima,
se le considera la pirata más
hermosa del mar de los Satánicos.

Sorrento

El maestro de Cocina
prepara el mejor caldo
del mar de los Satánicos.
A base de medusas, claro está.

Vera Dolores

Maestra de las Cintas Negras,
la imponente enfermera de
la isla es supersticiosa hasta
extremos inverosímiles y una
apasionada de los horóscopos.

Título original: *L'isola degli spettri*

Primera edición: junio de 2013

Proyecto y realización editorial: Atlantyca Dreamfarm s.r.l.,

Texto: Sir Steve Stevenson
Edición: Mario Pasqualotto
Ilustraciones: Stefano Turconi
"Original edition published by DeAgostini Editore S.p.A."

Av. Marquès de l'Argentera, 17. Pral. 1.ª
08003 Barcelona
www.piruetaeditorial.com

Impreso por Egedsa
Rois de Corella, 12-16, nave 1
08205 Sabadell (Barcelona)

ISBN: 978-84-15235-54-5
Depósito legal: B-11433-2013
Código IBIC: YFC

Sir Steve Stevenson

La isla de los fantasmas

Ilustraciones de Stefano Turconi
Traducción de Julia Osuna Aguilar

pirueta
www.piruetaeditorial.com

A Patrizio y Mimi,
mis adorables mininos.

Mientras el alba asomaba la cabeza por el horizonte, una pequeña chalupa vagaba más sola que la una por las olas espumosas. Empezaba así un nuevo día para los cinco Lobitos de Mar, los alumnos más indisciplinados de la Escuela de Piratas…

… ¡un día de aventuras que les pondría la piel de gallina!

La noche anterior habían huido del bajel de la Reina Azul, la famosa cazatesoros. Habían aprovechado el motín de la tripulación para intentar

reunirse con el director de la escuela, el capitán de capitanes Argento Vivo, que había ido a socorrerlos con su almiranta y estaba lanzando cañonazos desde la distancia. Sin embargo, una horrible tempestad había empujado la chalupa en dirección contraria, en medio de la oscuridad y el frío. Cuando por fin el vendaval había decidido aplacarse, los chicos habían encontrado cierto consuelo en el sueño.

El primero en levantarse fue el francés Antón, quien en el acto lanzó un chillido penetrante:

—¡Por todos los bacalaos!

Se puso en pie y fue hacia la proa de la barca, pisando de camino los barrigones de Babor y Estribor. Los dos hermanos noruegos apenas sintieron un ligero pellizco y se giraron para seguir roncando sobre el otro costado.

Antón contempló atribulado la infinita exten-

sión de agua que rodeaba la barca. El tiempo estaba empeorando de nuevo: los truenos retumbaban cada vez más cerca.

En ese momento se dio cuenta de que sus amigos Jim y Ondina, acurrucados en el fondo del casco, lo miraban frotándose los ojos.

–¿Antón? –acertó a decir Ondina–. ¿Por qué estás tan nervioso?

–¡Nervioso es poco! –gritó este, temblando como un pulpo–. ¿Es que no lo veis, chicos?

–¿Ver... qué? –intervino el inglesito Jim desperezándose.

Antón señaló a su alrededor con sus delgaduchas manos.

–Pues que estamos en medio de la nada –mascullό–. ¡Y dentro de poco empezará a llover a cántaros!

Justo en ese instante, un trueno retumbó en el

cielo como un redoble de tambores. Formó tal estrépito que Babor y Estribor se incorporaron de un brinco con cara de despiste.

—¿Otra tempestad? —preguntaron al unísono—. ¡Vaya rollo!

Los cinco Lobitos de Mar no sabían qué hacer: estaban perdidos en el mar de los Satánicos, sin ningún punto de referencia y con un terrible huracán a punto de desencadenarse. Y para colmo de males…

¡BLUP!

—¿Qué ha sido ese ruido tan raro? —preguntó Ondina.

La curiosidad les hizo abrir bien los oídos.

¡BLUP! ¡BLUP! ¡BLUP!

—Uy, son nuestras barrigas —admitieron avergonzados Babor y Estribor—. Aúllan porque todavía no han desayunado.

—¿Desayunado? —preguntó enfadado Antón—. Pero ¿os dais cuenta de que somos... somos...?

—Náufragos —terminó la frase Jim, con un suspiro.

Mientras Babor y Estribor se quedaron escuchando los ruidos cavernosos de sus estómagos, los demás aprendices de piratas se sentaron a pensar.

¿Qué podían hacer?

¿Había alguna vía de escape?

De repente Estribor señaló con el dedo hacia mar adentro.

—¡Qué hambre! Me comería aquel trozo gordote de queso —murmuró.

—Está todo gris —replicó desilusionado Babor—. Me da que está recubierto de moho…

¿Cómo, cómo?

¿Un trozo de queso en medio del mar?

Ondina se asomó por la borda para ver mejor.

—Pero ¿de qué queso habláis, zoquetes? —exclamó—. ¡Es una isla! ¡Y bastante grande!

—¡Tierra a la vista! —gritó triunfante Jim—. ¡Rápido, chicos, a los remos!

Los Lobitos de Mar cogieron los remos y se pusieron a remar a todo trapo. Iban tan concentrados que apenas intercambiaron palabra, hasta que, de buenas a primeras…

—¡Sargazos y Satánicos! ¿Qué es ese sitio? —preguntó Ondina.

Los Lobitos de Mar se detuvieron para escrutar la isla rocosa que tenían ante ellos. En lo alto había un castillo en ruinas, con torres, puentes levadizos,

almenas y troneras. Unos nubarrones oscuros parecían envolverlo en una capa tenebrosa.

A Antón le entró de repente el pánico.

—Oh, oh, oh —susurró—, creo que acabo de comprender dónde estamos.

—¿Dónde? —quiso saber Jim.

Antón se había quedado sin palabras y los demás también parecían haber enmudecido.

—Bueno, ¿qué? ¿Me lo explicáis o no? —insistió el joven inglés.

Ondina reunió valor y dijo en voz baja:

–Estamos en la Isla Prisionera, Jim. –Hizo una pausa y lo miró preocupada–. ¿No te acuerdas de las clases de la maestra Dolores?

El joven pirata se rascó la barbilla y, al momento, se llevó las manos a la frente.

¡La Isla Prisionera!

De todos los sitios donde podían arribar, aquel era de lejos el peor: no era ningún castillo, sino una antigua cárcel donde confinaban a los bucaneros más despiadados del mar de los Satánicos.

Según la maestra Dolores, desde hacía mucho tiempo no vivía nadie…

… ¡salvo varios puñados de fantasmas malvados!

1
Un lugar de repelús

–¡Ah, no! –exclamó Antón sacudiendo la cabeza, tozudo–. ¡Yo ahí no pienso poner el pie!

Jim llevaba varios minutos intentando convencer a sus compañeros para atracar en la Isla Prisionera, pero sus esfuerzos parecían en vano: el miedo a toparse con un fantasma superaba cualquier garantía que el inglesito pudiese darles.

Solo Ondina lo apoyaba.

–No podemos estar vagando al tuntún por todo el océano –les dijo a Babor y Estribor–. ¿Qué vamos

a comer? Ni siquiera tenemos cañas de pescar.

Los dos hermanos noruegos alzaron las cejas, sin saber bien qué hacer. Los estómagos les sonaban como una orquesta desafinada. La idea de quedarse sin nada que echarse a la boca les dio alas. Cogieron los remos y dijeron a coro:

—¿A qué estamos esperando? ¡Vamos!

Remaron con golpes enérgicos, mientras Antón gritaba furioso e intentaba por todos los medios detenerlos. Agarró por el brazo a Babor, que sin querer le dio un manotazo y a punto estuvo de lanzarlo por la borda.

Jim y Ondina intercambiaron una sonrisa cómplice: ¡se habían salido con la suya!

Entre tanto, las nubes empezaron a bombardear la barquita con gotas de lluvia grandes como pedruscos. Para ir más rápido, también Jim y Ondina se pusieron a remar. Antón, en cambio,

se apostó en la proa sin dejar de mascullar para sí:

—¡Palurdos! No tienen ni idea de lo que les espera en la isla…

¡Y tenía razón!

Cuando estaban a una legua de distancia de la Isla Prisionera, la chalupa chocó contra un escollo invisible y, con la quilla partida en dos, salió disparada. Los cinco Lobitos se vieron con las piernas en el aire y se precipitaron en el agua helada entre un sinfín de salpicaduras.

¡CHOFF!

Nada más volver a la superficie, Jim vio que la barca había quedado boca bajo. Se mantuvo a

flote con un remo y llamó a sus compañeros:

—¿Estamos todos?

Recibió respuestas de Ondina, de Babor y de Estribor, que al punto se acercaron nadando…

… pero ¿dónde se había metido Antón?

—¡Lo hemos perdido!

—¡Se ha ahogado!

—¡¿Antóóón?!

Los chicos se sumergieron para buscarlo, en particular Ondina, la más diestra en el buceo. La búsqueda prosiguió varios minutos, pero no había nada que hacer: ¡Antón no aparecía!

A no ser que…

—Rápido, ¡ayudadme a girar la chalupa! —gritó Jim.

Babor y Estribor la levantaron un palmo y después Ondina y Jim cogieron impulso bajo el agua y lograron darle la vuelta del todo.

¿Y quién apareció escondido debajo?

–Este sitio está maldito –susurró Antón temblando de miedo–. ¡Los fantasmas han volcado la barca para fastidiar!

Los Lobitos de Mar no le hicieron caso: estaban demasiado ocupados celebrando que habían encontrado a su compañero de fatigas. Lo abrazaron calurosamente, bajo el aguacero y las olas cada vez más altas.

–Nademos hasta la orilla –ordenó Jim–. ¡Aquí va a llegar el fin del mundo!

–Pero ¿estáis sordos o qué? –los increpó Antón encolerizado–. ¡Los fantasmas no nos quieren en su morada!

Babor y Estribor no se lo pensaron ni un instante: lo cogieron por debajo de las axilas y lo arrastraron nadando hasta la playa de guijarros, donde Jim y Ondina los esperaban impacientes. Los cinco estaban cubiertos de algas de la cabeza a los pies.

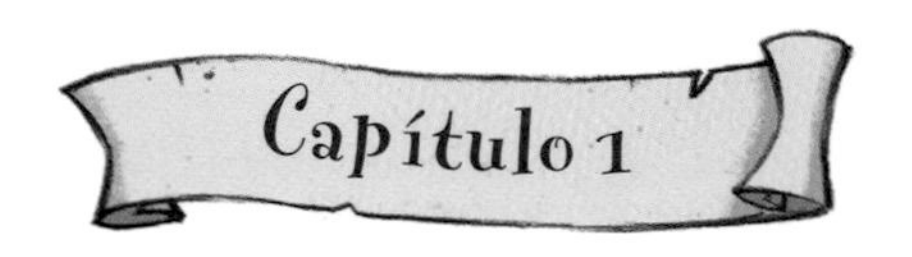

Si querían entrar en calor y protegerse de los rayos, tenían que ponerse a cubierto cuanto antes.

—¡Refugiémonos en la cárcel, chicos! —les dijo Ondina encaminándose a buen paso a la pendiente de subida. El castillo tenía unos muros imponentes, pero al final del sendero se insinuaba un gran portón de hierro forjado.

—¡Estáis todos locos! —espetó Antón al ver que el resto de Lobitos la seguían sin demora—. ¡Vais a meteros en una buena encerrona, os lo digo en serio! —Se echó sobre una piedra lisa y cruzó los brazos bajo la cabeza—. Ya volverán corriendo como locos, los muy zoquetes —se rio para sí—. ¡Yo no caeré en la trampa! Los esperaré aquí, a salvo de los fantasmas.

Apenas hubo acabado de carcajearse, un rayo cayó en la playa con un estruendo aterrador.

¡BADABUM!

Un lugar de repelús

La tierra tembló como gelatina. Antón pegó un brinco, resbaló en un charco, se puso de pie como pudo y salió disparado como un cohete.

—¡Socorro! —gritaba a todo pulmón mientras adelantaba a sus compañeros por la fatigosa subida.

Estos lo miraron pasmados, sin entender qué mosca le había picado.

Solo cuando llegaron al portón de hierro vieron que apestaba a chamusquina y tenía los pelos ¡tiesos y requemados!

Se troncharon de la risa, apoyándose unos en otros.

—¡Te has quedado bien doradito!

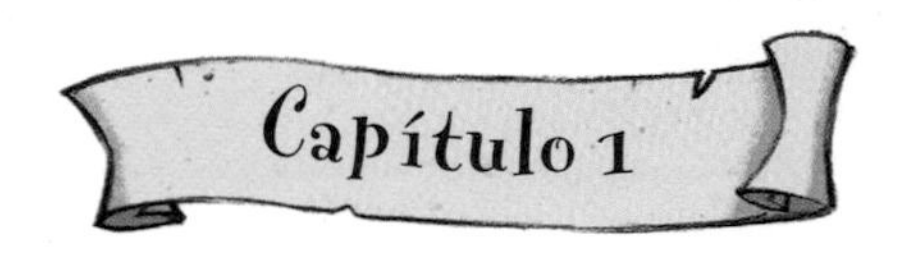

—¿Han sido tus amigos los fantasmas, Antón?

—¿Otra bromita de las suyas?

Pero de repente se les fue el color de la cara al ver que las pesadas hojas del portón se abrían de par en par por detrás de su amigo…

… ¡sin que nadie las hubiese empujado!

—¿A qué vienen esas caras? —les preguntó Antón, preocupado por el repentino silencio. Después también él percibió el chirrido de las cadenas, se volvió lentamente y pegó un grito de terror.

Por lo que parecía, ¡la prisión les invitaba a entrar!

2 Los misterios del castillo

Al otro lado del portón había una sala muy amplia en penumbra. A juzgar por la cantidad de polvo en el suelo, parecía que nadie lo hubiese pisado desde tiempos inmemoriales, pero, sin embargo…

–¿Eso de allí son cestas? –preguntó Ondina aguzando la vista.

–¡Así es! –exclamó Estribor con la boca hecha agua–. ¡Y están llenas de verduras!

Babor corrió a entrechocar la mano con su hermano y chilló:

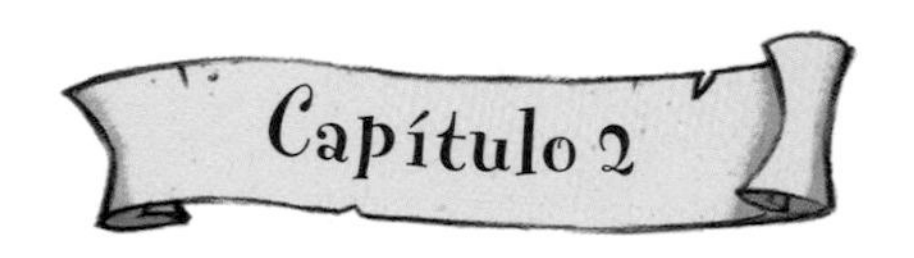

—¡Por fin vamos a comer!

Los dos hermanos noruegos traspasaron el portón y se abalanzaron como tiburones sobre las cestas abandonadas.

Las verduras estaban blandas y ennegrecidas, pero los muy glotones se las tragaron una tras otra. ¡El hambre les había quitado de golpe todos los temores!

Entre tanto, Jim paseaba de acá para allá bajo el umbral, desconcertado.

—Primero el portón que se abre solo, luego las cestas con comida… —reflexionó en voz alta—. ¿No os parece extraño, chicos?

—¡Es obra de los fantasmas! —gruñó Antón—. ¿Cuántas veces tengo que repetirlo?

Ondina, que estaba examinando el portón, se volvió de golpe.

—Se ha abierto gracias a las cadenas de hierro

que penetran en este muro –les explicó–. Alguien ha tenido que tirar de ellas con algún mecanismo a distancia.

Jim le preguntó a bocajarro:

–Entonces, ¿crees que el castillo está habitado?

La chica se encogió de hombros.

–No lo sé –suspiró–. Pero pronto lo descubriremos.

Dio unos cuantos pasos por la sala y Babor le ofreció una zanahoria mohosa.

–No tiene muy buen aspecto, pero está muy rica –le sonrió feliz–. ¿O prefieres lechuga?

–La lechuga se ha acabado, hermanito –intervino Estribor mascando una patata cruda–. ¿Queréis un trocito? –les ofreció.

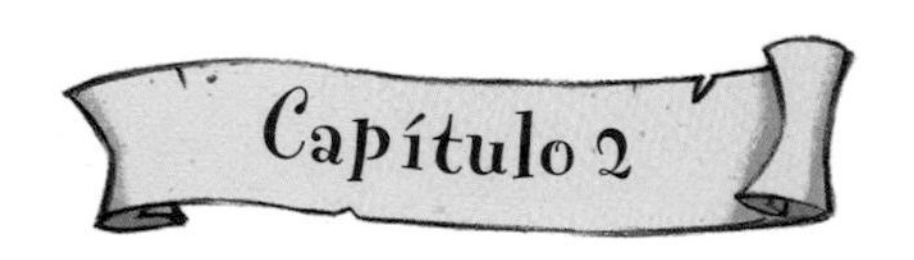

Ondina se tapó la nariz y soltó un sonoro:

—¡Puaj!

Todavía en la entrada, Jim observaba los rayos que iluminaban el cielo.

—¿Qué me dices? ¿Avanzamos? —le preguntó a Antón, que estaba acicalándose.

—¿Y qué hacemos con los fantasmas?

—Los fantasmas no existen —le aseguró—. ¡Son solo producto de tu imaginación!

Antón se cepilló los rizos llenos de hollín.

—Si tú lo dices… —susurró escéptico; era evidente que no estaba para nada convencido.

Se reunieron con sus compañeros y mordisquearon las verduras pasadas. Más animado, Jim decidió tomar las riendas.

—Subiremos a la torre más alta y haremos ondear una gran bandera —propuso—. ¡Los barcos que pasen tendrán que verla!

—¿Y cómo llegamos a las torres? —preguntó Babor—. ¡Esta prisión es un auténtico laberinto!

Era cierto: aunque estaba oscuro, más adelante se entreveían pasillos, escaleras y puertas sin fin...

Ondina encendió una antorcha con el pedernal y después iluminó un cartel clavado en la pared.

—¡Aquí hay un mapa! —exclamó.

Los chicos se agruparon en torno a su amiga y estudiaron los planos del castillo, que estaba dividido en cinco plantas, más unos cuantos subterráneos. La palabra «PRISIÓN» aparecía escrita por todas partes, salvo en las torres de la quinta planta.

—¡Ahí es adonde tenemos que ir! —dijo Jim chasqueando los dedos.

—¿Qué significa el símbolo de la calavera? —preguntó Estribor.

—¿No lo sabes? —le respondió Babor—. Quiere decir que en los subterráneos hay peligro de muerte.

Los Lobitos empezaron a marchar con cautela, con Ondina a la cabeza y Jim indicando el camino por las plantas superiores. Atravesaron dos habitaciones con las paredes cubiertas de viejos escudos, lanzas y sables, antes de pasar por delante de una larga hilera de celdas con los barrotes rotos, las cerraduras abiertas y ni rastro de prisioneros.

–¡Está todo vacío!

–Mejor, ¿no?

–Pero, aun así, me da repelús…

–¡Callaos! –les interrumpió Jim–. Las escaleras están ya cerca, ¡démonos prisa!

Apenas hubo terminado la frase cuando se encontraron con una sorpresa muy desagradable…

–¿QUIÉN PERTURBA LA PAZ DE LOS ESPECTROS?

Era una voz profunda y solemne, que parecía retumbar por todo el pasillo…

Capítulo 2

Los Lobitos se quedaron paralizados del terror. Sin hacer el más mínimo ruido, volvieron lentamente la cabeza para mirar alrededor.

¡No había nada!

–LARGAOS, MALDITOS ENTROMETIDOS –tronó la voz–. ¡O SERÁ PEOR PARA VOSOTROS!

Esta vez el miedo ganó por goleada. Ondina dejó caer la antorcha, que rodó hasta una esquina y se apagó. En la oscuridad los chicos corrieron a toda pastilla por el pasillo y cada uno tomó una dirección distinta.

–¡Socorro, los fantasmas!

–¡Huyamos!

–¡A mí no me cogen!

Antón se metió ágilmente en un barril, Ondina se arrodilló tras una silla rota y Jim se escondió tras la jamba de una puerta.

¿Y los zampabollos de Babor y Estribor?

–Aquí estaremos a salvo, hermanito.

–No, mejor le damos dos vueltas a la llave.

–¡Excelente idea!

–¡Y ahora tira la llave por la ventana!

–¡Allá va!

Chocaron las manos y se acomodaron en una montañita de paja. La voz del fantasma había desaparecido, solo se oía el silbido del viento que entraba por la ventana.

–Babor, ¿tú estás seguro de que estamos a salvo?

–Claro que sí, hermanito, ¡es una celda!

–Pero ¿cómo vamos a salir sin la llave?

3
¡Entre rejas!

—¡Estamos encerrados! —gritaron Babor y Estribor—. ¡Sacadnos de aquí!

Sacudieron los barrotes con toda su fuerza, pero tanto la cerradura como el armazón de hierro resistieron perfectamente las patadas y los empujones. Al fin y al cabo, aquellas celdas habían sido construidas para evitar que se fugasen los peores piratas del mar de los Satánicos, así que... ¡imaginaos qué podían hacer dos golfillos como Babor y Estribor!

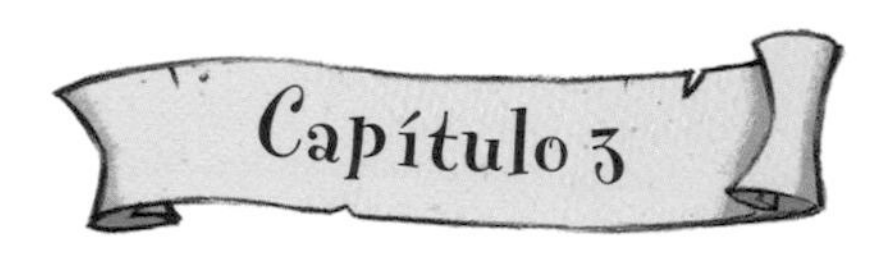

Capítulo 3

—¿Y si el fantasma llega justo ahora? —preguntó Babor.

—Él está fuera y nosotros dentro. ¡No hay ningún peligro!

—Te equivocas, querido hermano —le dijo Babor con tono de sabelotodo—. Según la maestra Dolores, los espectros pueden atravesar las paredes.

Ante aquella idea empezaron a gritar de nuevo. Sus chillidos desesperados retumbaron por todo el pasillo.

De repente la mortecina luz de la ventana enmarcó un rostro inmóvil ante los barrotes. Babor y Estribor retrocedieron horrorizados y entonces

tropezaron entre ellos y cayeron cuan largos eran sobre el montículo de paja. Iban a pegar un grito de campeonato, cuando…

–¡Chiss! –dijo la figura misteriosa al otro lado de los barrotes–. Que soy yo.

–¡Jim! –exclamaron Babor y Estribor–. ¡Estamos atrapados!

–¿Qué ha pasado? ¿Quién os ha encerrado ahí dentro?

Los hermanitos intercambiaron una mirada abochornada.

–Hum, es una historia un poco larga –le dijo Babor–. Pero, mientras, ¡ayúdanos a salir!

–Y ¿dónde está la llave? ¿No la tenéis?

Estribor miró hacia la ventana.

–Se ha caído al mar por error –mintió con cara de angelito.

En ese momento llegaron corriendo Ondina y

Antón, atraídos por los gritos de sus amigos. Como a ambos los aterraba la idea de que el fantasma volviese a asomar, con su voz potente y aterradora, no paraban de lanzar miradas furtivas por el pasillo.

–¿Y ahora qué hacemos, Jim? –murmuró Antón a regañadientes–. ¿Sigues estando tan seguro de que los fantasmas no existen?

Jim hizo como si no hubiera oído nada.

–Tenemos que ayudar a nuestros amigos a salir de la celda –dijo con decisión–. ¡Empujemos todos juntos!

–No me has respondido –insistió enfadado Antón–. ¿Qué decías de los fantasmas, Jim?

–Ya vale, Antón –intervino Ondina–. ¡O voy yo en persona a llamar al fantasma!

Babor y Estribor se asomaron entre los barrotes.

–No, ¡no vayas! –imploraron–. ¡Nos comerá de un bocado!

En ese preciso instante…

—¡JAJAJA! —rio el espectro—. ¡SOIS UNOS PEDAZOS DE ALCORNOQUES!

Los Lobitos se miraron castañeteando los dientes, pero esta vez no podían salir por piernas: ¡Babor y Estribor estaban atrapados!

En aquella situación apurada, a Jim se le encendió una bombilla:

—¿Dónde te escondes, fantasma feo? —exclamó con el puño en alto—. Hablas y hablas, pero no dejas que te veamos.

—SOY EL GUARDIÁN DE LA ISLA PRISIONERA —respondió la voz—. ¡ESTOY EN TODAS PARTES!

—Pues nosotros somos los famosos Lobitos de Mar —replicó Jim sin parpadear—. ¡Los mejores alumnos del capitán de capitanes Argento Vivo!

Jim sospechaba que el fantasma solo quería

Capítulo 3

asustarlos, pero que en el fondo no era peligroso. Sin embargo, sus compañeros, que no sabían qué tramaba, le pegaron tirones para que se callase.

—No os preocupéis —susurró Jim—. Lo tengo controlado.

Las palabras del fantasma confirmaron su teoría.

—¿QUÉ HACÉIS EN MI CASTILLO? —les preguntó, curioso—. APARTE DE ENREDAR, ME REFIERO…

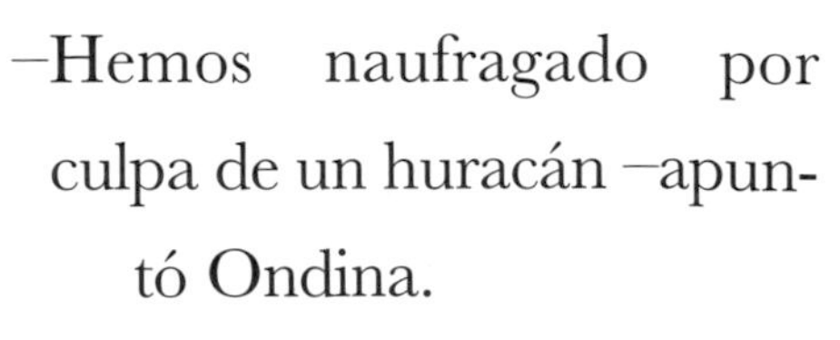

—Hemos naufragado por culpa de un huracán —apuntó Ondina.

—Y queremos irnos en cuanto podamos —añadió Antón—, ¿verdad, chicos?

El resto de Lobitos juró que sí.

Hubo entonces unos instantes de silencio, como si el espectro estuviese pensando su siguiente jugada.

–MUY BIEN, MOCOSOS –siguió hablando al poco–. AHORA OS VOY A PROPONER UN TRUEQUE DE FAVORES.

¿Cómo, cómo?

¿Un favor a un fantasma?

¡Sargazos y Satánicos, ver para creer!

–Somos todo oídos –dijo resueltamente Jim.

–BIEN. YO OS AYUDO A LIBERAR A ESE PAR DE GORDINFLONES Y VOSOTROS HACÉIS ALGO POR MÍ. ¿DE ACUERDO?

Los Lobitos lo discutieron rápidamente y decidieron aceptar el trueque.

Había sido la mejor elección, porque el fantasma sabía dónde encontrar una herramienta con la que serrar los barrotes de la celda. El único problema era que no estaba en un sitio muy tranquilizador...

Capítulo 3

–¿La sala de las torturas? –exclamó Antón–. Id vosotros, ¡yo me quedo haciéndoles compañía a Babor y Estribor!

Jim y Ondina, que no tenían ganas de perder más tiempo, obedecieron las indicaciones de la voz espectral.

Con la antorcha por delante para iluminar el camino, se apresuraron a subir a la segunda planta. Recorrieron más pasillos invadidos por el polvo y las telarañas, hasta que por fin llegaron a la puerta que buscaban.

¡La sala de las torturas era un horror!

Estaba sumida en la oscuridad y tenía un ambiente tan lúgubre que daba repelús.

Jim no veía la hora de largarse.

–¿Dónde está el trasto ese? –preguntó decidido al espectro.

–EN LA MESA, EN EL SEGUNDO CAJÓN.

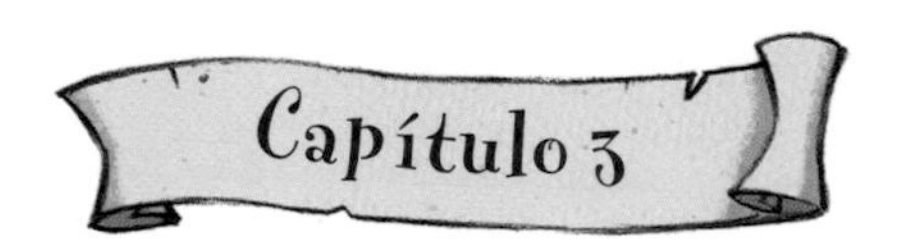

El joven inglés rebuscó en el cajón y salió de aquel lugar horrible con una pequeña lima en la mano.

–Anda, vamos a liberar a nuestros amigos –suspiró.

Ondina lo abrazó con ternura y luego volvieron por donde habían llegado.

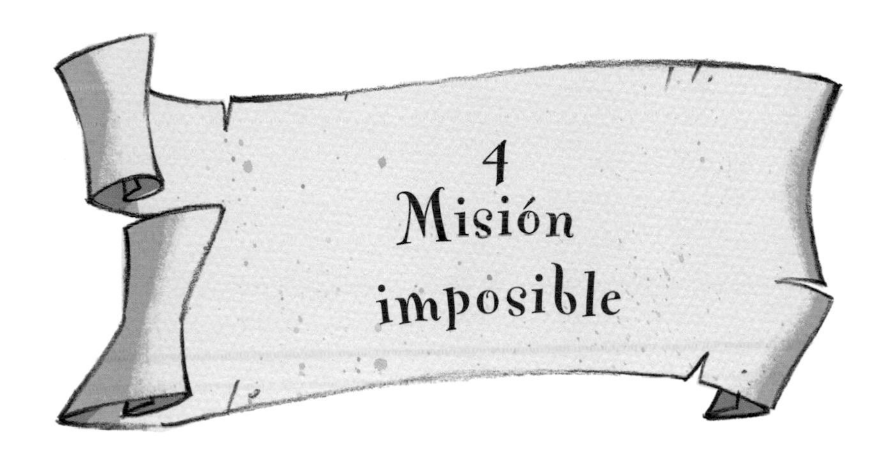

4 Misión imposible

—Daos prisa —masculló Babor—. ¡Me siento como en una jaula!

—Más rápido —añadió Estribor—. ¡Aquí dentro me falta el oxígeno!

Antón dejó un momento de serrar los barrotes con la lima y miró ceñudo a los dos hermanos.

—¡Os lo juro, merecéis quedaros encarcelados un poquito más! —los reprendió.

—No son unos criminales, solo unos pobres patosos —comentó Ondina, que estaba arrodillada en el

suelo–. Encerrarse en la celda ha sido una pésima idea, la verdad.

Jim, mientras tanto, paseaba de arriba abajo por el pasillo, pensativo. No entendía cómo lograba el espectro comunicarse con ellos sin dejarse ver.

¿Era un fantasma de verdad o era otra cosa?

–¿HABÉIS TERMINADO, SO MERLUZOS? –les preguntó en ese momento la voz–. ¡LA ESPERA ESTÁ PONIÉNDOME NERVIOSO!

Ondina sacó de cuajo el barrote que había limado Antón y lo alzó en el aire con gesto triunfal.

–¡Prueba superada! –dijo feliz–. ¡Ahora nuestros amigos pueden pasar!

Babor y Estribor se escabulleron por el hueco como dos anguilas y se lanzaron al punto sobre Antón para darle las gracias.

–¡Que me estáis aplastando, panzudos, que sois unos panzudos! –se lamentó el francesito.

—ME DEBÉIS UN FAVOR, ¿ESTÁIS LISTOS?

Los chicos se juntaron para escuchar la petición del espectro.

Este se aclaró la voz, tosió un par de veces y empezó un relato muy detallado sobre cómo había perdido a su querido papagayo Palmiro, su único amigo, que le hacía compañía en sus infinitos días de soledad.

—¿Un papagayo fantasma? —se sorprendió Babor—. ¿Qué aspecto tendrá?

—Pues igualito que los normales, solo que transparente —le respondió Estribor—. ¿Es fácil, no?

—PALMIRO ES UN PAPAGAYO DE CARNE Y HUESO, CON PLUMAS BELLÍSIMAS DE MIL COLORES —dijo furioso el espectro. Después pareció entristecerse y añadió—: OS LO RUEGO, ¡TENÉIS QUE ENCONTRARLO COMO SEA!

Jim seguía con la mosca detrás de la oreja, y también a Ondina le sorprendió que un espectro estuviese tan apegado a un papagayo.

–Cuéntanos, ¿dónde lo viste por última vez? –le preguntó el inglesito.

–Salió volando por los subterráneos, ¡adonde yo no puedo entrar!

¿Cómo, cómo?

En el mapa de la entrada, ¡los subterráneos estaban marcados con el símbolo de la calavera!

¿Qué peligros estarían aguardándoles?

El fantasma les explicó que en las celdas de las plantas inferiores era donde encerraban a los piratas más feroces. Por motivos de seguridad, habían instalado una trampa tras otra en aquellas cuevas.

Esperaba que Palmiro no hubiese caído en alguna.

–Vayamos –anunció Ondina–. Indícanos el camino.

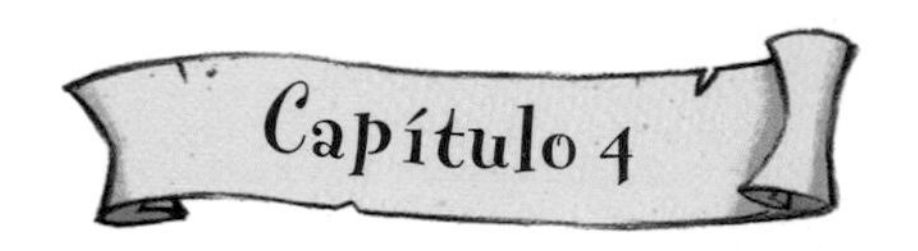

Tras las muecas de Antón y las dudas de Babor y Estribor, el fantasma condujo a la compañía a la entrada de los subterráneos.

–YO TENGO QUE QUEDARME AQUÍ. AHORA ARREGLÁOSLAS VOSOTROS SOLOS. ¡Y OJO CON LAS TRAMPAS!

Los chicos bajaron por una escalera de caracol de paredes estrechas y recubiertas por una pátina de musgo verde.

La temperatura era cada vez más baja, hasta que llegaron a una gélida galería excavada directamente en la roca.

Llamaron al papagayo todos juntos:

–¿Palmiro? ¿Dónde estás?

Al no haber respuesta, tuvieron que adentrarse en la galería para buscarlo…

–Pase lo que pase, no nos separemos –murmuró Jim.

Los demás asintieron y luego lo siguieron por el túnel de la derecha. No habrían recorrido ni siquiera diez metros cuando saltó la primera trampa.

¡FRUSH!

Un trozo de cuerda se levantó del suelo arrastrando a Jim por un pie. El chico se quedó colgando bocabajo pero Antón se apresuró a liberarlo cortando la cuerda con la lima.

Jim se cayó de bruces entre una gran polvareda.

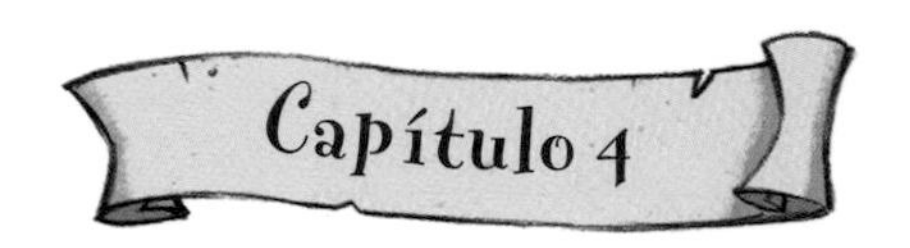

—Ay, ay, estoy todo magullado —tosió—. Pero gracias de todas formas, Antón.

El joven francés sacó pecho, orgulloso.

—¡No hay de qué! ¡Soy un gran experto en la lima!

—Anda, venga, prosigamos —le cortó las alas Ondina, que no soportaba las bravuconerías de Antón.

Los demás la siguieron con paso incierto. Todos se preguntaban lo mismo: ¿qué otras trampas se escondían en aquella planta subterránea?

No tardaron en descubrirlo…

¡PAM, PAM, PAM!

Una sarta de dardos salió disparada de los muros y surcó el aire. Eran tan diminutos que no dolían.

—¿Han alcanzado a alguno de vosotros, amigos? —preguntó Jim algo preocupado. ¡Podrían ser dardos venenosos!

—A mí solo me han rozado —sonrió Estribor.

Pero su hermano estaba mirándolo de hito en hito

y señalándole la papada, le gritó asustado.

—¡Tienes uno ahí clavado! —exclamó—. ¡Quítatelo, rápido!

Estribor se puso rojo como una langosta.

—¡Me han envenenado! —gritó—. ¡Rápido, dadme el antídoto!

Ondina cogió el dardo y lo estudió con atención.

—Hum, aunque fuese veneno, han pasado demasiados años para que haga efecto —lo tranquilizó.

Estribor dejó escapar un suspiro de alivio...

... y justo en ese momento ¡un pájaro de colores pasó volando por encima de su cabeza!

—¡CRA, CRA! —graznó—. ¡Trampas, veneno, precipicios!

Los Lobitos de Mar lo vieron desaparecer en la oscuridad, directo a una cueva al fondo del túnel. Y al punto comprendieron por qué el papagayo había dicho la palabra «precipicios»: justo delante,

a pocos pasos, ¡se abría un inmenso agujero redondo que impedía el paso!

Y ahora ¿cómo iban a hacer para superar el profundo hoyo que había en el suelo, atrapar a Palmiro y devolvérselo a su dueño?

¡Era la trampa más temible!

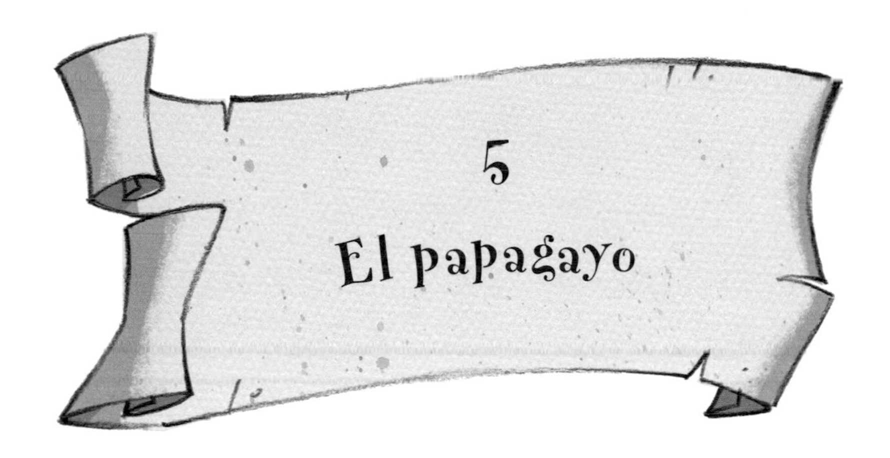

Cuando se acercaron al precipicio, los Lobitos se dieron cuenta de que el terreno tenía una ligera inclinación, mientras que el techo del túnel estaba plagado de estalactitas que goteaban.

¡PLIN, PLIN, PLIN!

—Está mojado, cuidado, no resbaléis —les advirtió Jim—. ¡El agujero es profundísimo!

—Necesitaríamos unos tablones largos —susurró Antón, pegándose a la pared. Sus proverbiales vértigos reaparecieron—. ¿No podemos subir a buscarlos?

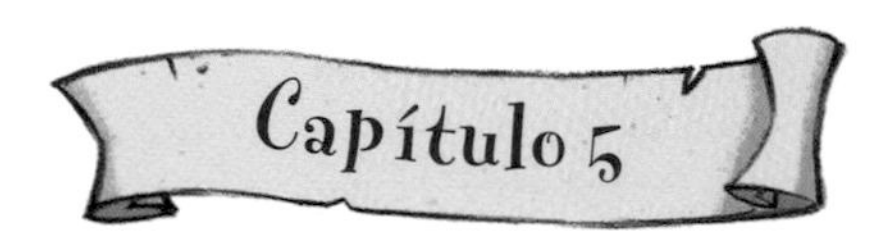

Ondina lo miró con mala cara.

—¿Ya estás buscando una excusa para escaquearte como siempre?

—No —intervino decidido Jim—. Esta vez Antón tiene razón.

Pasmados, los otros Lobitos asaltaron al inglesito con una ráfaga de preguntas. ¿Enfrentarse al fantasma con las manos vacías? ¿Y si se enfadaba? No convenía jugar con fuego…

Jim señaló la cueva al otro lado del agujero.

—Esa era la celda de máxima seguridad —les explicó con calma—. Si el preso escapaba de la prisión, ¡tenía el camino cortado por el precipicio!

Ondina había intuido la idea de Jim.

–Entonces, le hacían cruzar el precipicio por un puente móvil –prosiguió esta–. ¡Y después quitaban el puente y el pobrecillo nunca más podía salir!

–Exactamente –anunció Jim.

Ante una explicación tan precisa, Babor y Estribor se quedaron boquiabiertos: ¡a ellos nunca se les habría ocurrido!

–Entonces sería un prisionero muy famoso –comentaron entusiasmados–. ¡Un bucanero legendario! ¡Un filibustero despiadado y riquísimo!

–¿Y eso qué importa? –protestó Antón–. Tenemos que recuperar un papagayo, ¡no un tesoro! –Impaciente, le quitó la antorcha de las manos a Ondina y se encaminó con paso vacilante por donde habían venido–. ¡Le voy a cantar las cuarenta a ese espectro de tres al cuarto! –iba bramando.

Tras unos cuantos pasos, la llama iluminó una parte del sótano que no habían visto antes. Era

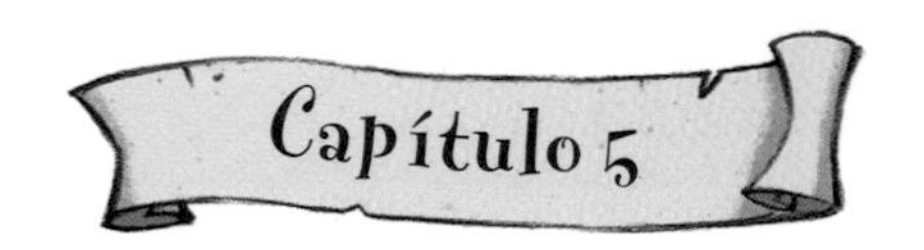

una enorme jaula de madera que contenía una bola tan grande como la galería. ¡Otra trampa seguro!

—¡Detente, Antón! —se alarmaron los demás.

—¿Por qué? —replicó el francés apoyándose en la pared—. Hasta Jim me ha dado la razón, ¿no?

Y así fue como Antón accionó sin querer una palanca oculta en la pared e hizo saltar la última trampa.

¡TRAC!

La jaula de madera cedió…

¡PAPAM!

La bola de acero cayó al pasillo…

¡RUMRUMRUM!

La esfera gigante empezó a rodar, cada vez más rápido debido a la inclinación del terreno, hacia Antón y los demás Lobitos…

—¡Sálvese quien pueda! —gritó el chico francés saltando como una liebre hacia sus amigos.

Jim y Ondina pegaron un bote y se agarraron de las estalactitas del techo. En un primer momento Babor y Estribor pensaron en parar la esfera con las manos, pero luego vieron que era muy grande y también se colgaron de las estalactitas.

¡RUMRUMRUM!

Quedaba solo Antón, que tiró la antorcha, cogió carrerilla e intentó saltar el precipicio.

¡A la carga! –gritó.

Aunque se hizo la oscuridad, los Lobitos intuyeron que la bola debía de haberse quedado bloqueada. Pero ¿dónde? Se dejaron caer al suelo y recuperaron la antorcha, que estaba medio apagada. Solo entonces comprendieron lo que había ocurrido: ¡la pelota había rodado hasta el precipicio y había taponado el inmenso agujero!

Antón los llamó desde el otro lado:

–Eh, amigos, ¿todo bien?